W9-BMT-154

JIM DAVIS

# TOUT SCHUSS

PARIS • BARCELONE • BRUXELLES • LAUSANNE • LONDRES • MONTREAL • NEW YORK • STUTTGART

*Traduction : Thomas Deltombe*

www. dargaud. com


"Loi n°49-956 du 16 juillet 1949 sur les publications destinées à la jeunesse"
Dépôt légal : décembre 2006 • ISBN 2-205-05440-6
Printed in France by ***Partenaires Book®***

COT ! COT !
COT ! COT !
THAT WOULD EXPLAIN THE GRID HAT DINER.
ÇA EXPLIQUERAIT LE CHAPEAU GRILLÉ DU DÎNER.
www.garfield.com
© 2000 PAWS, INC./Distributed by Universal Press Syndicate
JIM DAVIS 10-24
NE PAS TOUCHER AU CHIEN
JIM DAVIS 10-25
NE PAS TOUCHER AU CHIEN
WHAP !
www.garfield.com
© 2000 PAWS, INC./Distributed by Universal Press Syndicate
DO NOT TOUCH THE DOG
I FEEL A LITTLE FLAT MOM
I HAVE NO FRIENDS - I HAVE NO WIFE.
JE ME SENS UN PEU À PLAT, MAMAN.
JIM DAVIS 10-26
J'AI PAS D'AMIS, J'AI PAS DE FIANCÉE...
ET LE CHAT PORTE MES SLIPS.
JE PRÉFÈRE TES CALEÇONS.
www.garfield.com
© 2000 PAWS, INC./Distributed by Universal Press Syndicate
GARFIELD ! CE SOIR, J'AI RENDEZ-VOUS AVEC SALLY.
ELLE AIME LES HOMMES VIRILS ET BARAQUÉS.
JE M'HABILLE EN GORILLE.
AVEC CES CHAUSSURES-LÀ ?
JIM DAVIS 10-27
www.garfield.com
© 2000 PAWS, INC./Distributed by Universal Press Syndicate

"MÉMOIRES" DE JON ARBUCKLE.
JIM DAVIS 10-28
JE SUIS NÉ DANS UNE FERME.
© 2000 PAWS, INC./Distributed by Universal Press Syndicate
www.garfield.com
ET PUIS J'AI ÉCRIT UN LIVRE SUR MA VIE SANS INTÉRÊT.
C'EST COURT MAIS HONNÊTE.
DING-DONG
JIM DAVIS 10-30
VOUS AVEZ UN CHAT ORANGE ?
EUH, OUI
LES TULIPES DE M. THROTTLE NE SONT PAS DANS NOTRE JARDIN.
FAIS VOIR QUAND TU TE GRATTES LE NEZ ?
GARFIELD ! JE CROIS QU'IL Y A DES VAMPIRES.
JIM DAVIS 10-31
IL Y A DEUX TROUS DANS MON DONUT.
ET TOUTE LA CONFITURE A ÉTÉ ASPIRÉE !
MON CERCUEIL M'APPELLE.
DING-DONG
JIM DAVIS 11-1
C'EST LE GARS QUI DOIT RÉPARER LE TOIT.

DING-DONG
JIM DAVIS 11-2
www.garfield.com
© 2000 PAWS, INC./Distributed by Universal Press Syndicate
IL NOUS RESTE UN VERRE DE FOURMIS ?

DING-DONG
JIM DAVIS 11-3
www.garfield.com
© 2000 PAWS, INC./Distributed by Universal Press Syndicate
TU AS BESOIN DE FAIRE LAVER TA VOITURE ?

DING-DONG
JIM DAVIS 11-4
www.garfield.com
© 2000 PAWS, INC./Distributed by Universal Press Syndicate
C'ÉTAIT QUI ?
JE NE PARLE JAMAIS EXISTENTIALISME AVANT MIDI.

IL EST PRESQUE L'HEURE DE MANGER.
© 2000 PAWS, INC./Distributed by Universal Press Syndicate
QU'EST-CE QUE T'EN PENSES ?
JE NE TE LE RÉPÉTERAI PAS, JON.
www.garfield.com
CHAQUE FOIS QUE JE NE MANGE PAS, C'EST QU'IL EST "PRESQUE L'HEURE DE MANGER".
JIM DAVIS 11-6

EH, ODIE !

NON, RIEN.

JE ME DEMANDE OÙ EST JON ?

MON PIED DROIT EST PLUS POILU QUE MON PIED GAUCHE !

ON VA DIRE QUE JE L'AI PAS TROUVÉ.

JE PENSE QUE TU NE FAIS PAS ASSEZ DE SPORT.
DU SPORT ?
MOI ? PAS ASSEZ DE SPORT ?
JE CROIS QUE JE ME SUIS FROISSÉ UN MUSCLE.

CLANG! CLANG! CLANG! CLANG! CLANG!
POURQUOI T'AS FAIS ÇA ?!
PARCE QUE TA FIANCÉE EST À LA PORTE.

VOILÀ LA LISTE DE COURSES POUR L'ÉPICERIE.
"TOUT."
PRENDS-EN DEUX, J'AI UN CREUX.
JIM DAVIS 11-11
SI TU M'ÉCRASES, T'AURAS DES SCRUPULES DEMAIN MATIN.
IL Y A PEU DE CHANCES.
JE ME LÈVE JAMAIS AVANT MIDI.
JIM DAVIS 11-13
T'AS ÉCRASÉ MA MÈRE ! T'AS ÉCRASÉ MON PÈRE !
T'AS ÉCRASÉ MON FRÈRE ! T'AS ÉCRASÉ MA SŒUR ! T'AS ÉCRASÉ MA SŒUR ! T'AS ÉCRASÉ MA SŒUR ! T'AS ÉCRASÉ MON FRÈRE ! T'AS ÉCRASÉ MA SŒUR !
T'AS ÉCRASÉ MON FRÈRE ! T'AS ÉCRASÉ MON FRÈRE ! T'AS ÉCRASÉ MA SŒUR !
ESPÉRONS QUE C'EST LE DERNIER DE LA FAMILLE.
JIM DAVIS 11-14
HORREUR ! J'AI DES FOURMIS DANS LES MAINS ET J'AI LE NEZ QUI GRATTE.
HOUOU ?!
ALORS ?
PARFAIT !
JIM DAVIS 11-15
© 2000 PAWS, INC./Distributed by Universal Press Syndicate
www.garfield.com

EH, LE CHAT, VOICI MA COUSINE LOUISE, LA TARENTULE.

SMACK !
© 2000 PAWS, INC./Distributed by Universal Press Syndicate
www.garfield.com

D'AILLEURS, ON S'EST JAMAIS TRÈS BIEN ENTENDUS.
JIM DAVIS 11-16

J'AI MANGÉ UN PAPILLON DE NUIT AU DÎNER.

C'ÉTAIT BON ?
SUPER !

LA CUISSON EST EXCELLENTE SUR LA LAMPE DE L'ENTRÉE !
JIM DAVIS 11-17

JE SENS QUE L'AVENIR DU MONDE REPOSE SUR MES ÉPAULES !

?
© 2000 PAWS, INC./Distributed by Universal Press Syndicate
www.garfield.com

JIM DAVIS 11-18

VOILÀ QUI EST INTÉRESSANT.
JIM DAVIS 11-20
ILS DISENT QUE LE NOM DE VOTRE CHAT DOIT REFLÉTER SA PERSONNALITÉ.
© 2000 PAWS, INC./Distributed by Universal Press Syndicate
T'EN PENSE QUOI, GROS TAS ?
ÇA SE TIENT, GROS NIAIS.
www.garfield.com

JE SUIS FATIGUÉ.
T'ES FATIGANT, AUSSI.
TU SAIS TOUT FAIRE !
© 2000 PAWS, INC./Distributed by Universal Press Syndicate
www.garfield.com
JIM DAVIS 11-21

NON, C'EST PAS ÇA.
C'ÉTAIT UN BÂTON.
JIM DAVIS 11-22
© 2000 PAWS, INC./Distributed by Universal Press Syndicate

JE LAISSE TOMBER.
www.garfield.com

SALUT ! JE SUIS HOWIE, LE GENTIL POULET !
© 2000 PAWS, INC./Distributed by Universal Press Syndicate

BRRR... J'AI FROID ! TU ME METS DANS LE FOUR ?
www.garfield.com

ARRÊTE, GARFIELD.
JE VEUX ÊTRE UN SANDWICH !
JIM DAVIS 11-23

ELLEN, C'EST JON.
JIM DAVIS 11-24

CLIC
© 2000 PAWS, INC./Distributed by Universal Press Syndicate

OH, NON ! QUELQU'UN A COUPÉ SA LIGNE.
JE SENS COMME UNE TOUCHE DE MAUVAISE FOI.
www.garfield.com

JE ME SOUVIENS DE TOUTES LES BÊTISES QU'ON FAISAIT QUAND ON ÉTAIT PETITS.
JIM DAVIS 11·25
© 2000 PAWS, INC./Distributed by Universal Press Syndicate
ON S'INTRODUISAIT CHEZ QUELQU'UN...
ET ON RETOURNAIT SON PAILLASSON.
AH, C'EST POUR ÇA, LA COLLECTION DE CLÉS.
www.garfield.com
LES FILLES NE M'AIMENT PAS, GARFIELD. IL FAUT QUE JE FASSE QUELQUE CHOSE.
© 2000 PAWS, INC. All Rights Reserved.
PEUT-ÊTRE QUE TU POURRAIS ESSAYER DE MIEUX COMPRENDRE LE PSYCHISME FÉMININ.
www.garfield.com
Distributed by Universal Press Syndicate
ÇA TE PERMETTRAIT D'ÉTABLIR UN DIALOGUE PLUS INTÉRESSANT, CE QUI ABOUTIRAIT À UNE RELATION PLUS RICHE.
UNE MANUCURE !
JIM DAVIS 11·27
TU VOIS LA FILLE QUI ME REGARDE ?
JIM DAVIS 11·28
Distributed by Universal Press Syndicate
ELLE PEUT PAS S'EN EMPÊCHER.
www.garfield.com
JE SUIS UN AIMANT À FILLES.
UN AIMANT À FILLES ÉTOURDI.
© 2000 PAWS, INC. All Rights Reserved.
J'AIME LES FILLES DANS TON GENRE, MARSHA.
JIM DAVIS 11·29
Distributed by Universal Press Syndicate
ATTACHÉES AUX BONNES VIEILLES VALEURS FAMILIALES.
www.garfield.com
QUI SAURAIENT TRAIRE UNE CHÈVRE EN TROIS MINUTES CHRONO !
ADIEU, MARSHA.
© 2000 PAWS, INC. All Rights Reserved.

C'EST CLAIR, GARFIELD, Y A PLEIN DE FEMMES DEHORS.
C'EST CLAIR, PLEIN DE POISSONS DANS LA MER.
J'AI QU'À RESSORTIR MA VIEILLE CANNE À PÊCHE.
TON HAMEÇON EST FOUTU.
JIM DAVIS 11-30
Distributed by Universal Press Syndicate
www.garfield.com
© 2000 PAWS, INC. All Rights Reserved.

ALLO, MAMIE ? C'EST JON.
JE SUIS UN PEU TRISTE, JE NE TROUVE PAS DE FIANCÉE.
ELLE DIT QUE C'EST PARCE QUE JE SUIS UN ABRUTI.
JE SUIS SÛR QU'ELLE DISAIT ÇA SANS MÉCHANCETÉ.
JIM DAVIS 12-1
Distributed by Universal Press Syndicate
© 2000 PAWS, INC. All Rights Reserved.
www.garfield.com

TU NE TE SOUVIENS PAS DE MOI, BECKY ?
NON ?
EH, EH !
VRAIMENT ?
PRO-FITES-EN !
JIM DAVIS 12-2
Distributed by Universal Press Syndicate
© 2000 PAWS, INC. All Rights Reserved.
www.garfield.com

JE ME DEMANDE SI GARFIELD SAIT QUE NOËL APPROCHE.
HUG
IL SAIT.
JIM DAVIS 12-4
© 2000 PAWS, INC./Distributed by Universal Press Syndicate
Distributed by Universal Press Syndicate
www.garfield.com

NOËL SANS NEIGE, C'EST PAS VRAIMENT NOËL.
© 2000 PAWS, INC./Distributed by Universal Press Syndicate
Distributed by Universal Press Syndicate
MON BEAU SAPIN, ROI DES FORÊTS, LA LALA LA LALA !
JIM DAVIS 12-5
www.garfield.com
JE PEUX SAVOIR CE QUE FAIT TON BONHOMME DE NEIGE DANS LE SALON ?
© 2000 PAWS, INC./Distributed by Universal Press Syndicate
Distributed by Universal Press Syndicate
IL FOND.
www.garfield.com
JIM DAVIS 12-6
JON DÉCORE LE SAPIN DE NOËL.
JIM DAVIS 12-7
© 2000 PAWS, INC./Distributed by Universal Press Syndicate
ZZT
Distributed by Universal Press Syndicate
UNE RALLONGE FOUTUE.
Y A PAS QUE ÇA DE FOUTU, MON GARS.
www.garfield.com
JIM DAVIS 12-8
© 2000 PAWS, INC./Distributed by Universal Press Syndicate
SMACK!
Distributed by Universal Press Syndicate
SYMPA L'ÉTOILE POUR LE SAPIN !
VA-T'EN !
www.garfield.com

SOUVIENS-TOI : LE PÈRE NOËL TE REGARDE.
JIM DAVIS 12-9
© 2000 PAWS, INC./Distributed by Universal Press Syndicate
À TA SANTÉ, MON AMI !
Distributed by Universal Press Syndicate
www.garfield.com
JE ME SOUVIENS DE NOËL QUAND J'ÉTAIS PETIT...
Distributed by Universal Press Syndicate
© 2000 PAWS, INC. All Rights Reserved.
LA MOUCHE GRILLÉE PRÉPARÉE PAR PAPA...
JIM DAVIS 12-11
www.garfield.com
LA BÛCHE AUX MOUCHERONS...
EXCUSE, MAIS J'AI PAS TRÈS ENVIE DE VOMIR MON RÉVEILLON.
JE ME SOUVIENS, À LA FERME, ON AVAIT UN TRAIN ÉLECTRIQUE QUI TOURNAIT AUTOUR DU SAPIN.
© 2000 PAWS, INC. All Rights Reserved.
UNE ANNÉE, MON FRÈRE, DOC BOY, A LÉCHÉ LES RAILS.
www.garfield.com
Distributed by Universal Press Syndicate
IL A CLIGNOTÉ PENDANT TROIS JOURS.
JE RETIRE CE QUE J'AI DIT : CE GARS SAIT ÊTRE BRILLANT.
JIM DAVIS 12-12
VOYEZ LA BELLE SUCETTE.
© 2000 PAWS, INC. All Rights Reserved.
SYMBOLE DU BIEN-ÊTRE... LISSE... ÉBLOUISSANTE DE SIMPLICITÉ.
Distributed by Universal Press Syndicate
JIM DAVIS 12-13
www.garfield.com
ET BIEN TROP BONNE POUR QU'ON EN FASSE L'ÉLOGE PLUS LONGTEMPS.

AAAAAAAAH
MMMMM !
LA BONNE ODEUR DE SUCETTE.
JIM DAVIS 12-14
VOILÀ CE QUE JE TE PROPOSE.
JIM DAVIS 12-15
TU ME DIS OÙ TU AS CACHÉ MON CADEAU DE NOËL...
ET JE NE TE PLANTE PAS MES GRIFFES DANS LA CAROTIDE.
J'AIME PAS CE REGARD.
ALORS QU'EST-CE QUE TU DIRAIS AU PÈRE NOËL S'IL TE REGARDAIT DROIT DANS LES YEUX EN TE DEMANDANT : "AS-TU ÉTÉ SAGE CETTE ANNÉE ?"
MIAOU !
UN PEU FACILE, NON ?
BAH ! J'AI PAS LE CHOIX !
JIM DAVIS 12-16
SLAM!
C'ÉTAIT HORRIBLE ! J'AI FAILLI MOURIR !!!
LES COURSES DE NOËL...
JIM DAVIS 12-18

GARFIELD!
JIM DAVIS 12·19
C'ÉTAIT L'HYPERMARCHÉ !
LE LUTIN DU PÈRE NOËL VEUT RÉCUPÉRER SES BOTTINES.
QUEL RABAT-JOIE.
© 2000 PAWS, INC. All Rights Reserved.
Distributed by Universal Press Syndicate
www.garfield.com

REGARDE, GARFIELD, MAMAN A ENVOYÉ UN PAQUET POUR NOËL !
JIM DAVIS 12·20
OKAY, J'ENLÈVE LE FIL.
FAIS GAFFE, RENVERSE PAS LE COULIS.
© 2000 PAWS, INC. All Rights Reserved.
Distributed by Universal Press Syndicate
www.garfield.com

TU AS GRIMPÉ DANS LE SAPIN ?
JIM DAVIS 12·21
PAS DANS LE NÔTRE...
DING DONG
C'EST POUR TOI.
© 2000 PAWS, INC. All Rights Reserved.
Distributed by Universal Press Syndicate
www.garfield.com

OUAHH ! NOËL EST PLEIN DE SOUVENIRS !
PHOTOS
MAIS, TU SAIS QU'IL NE FAUT PAS VIVRE DANS LE PASSÉ ?
JE SAIS BIEN.
JIM DAVIS 12·22
CE QUI COMPTE, C'EST LE PRÉSENT.
GARFIELD
© 2000 PAWS, INC. All Rights Reserved.
Distributed by Universal Press Syndicate
www.garfield.com

JE SUIS DÉSOLÉ MADAME FEENY. BONNE ANNÉE À VOUS AUSSI.
ELLE DIT QUE TU AS LAISSÉ UNE SURPRISE SUR SON PAILLASSON.
C'EST DE SAISON.
UNE BOULE DE POILS.
C'EST MOI QUI L'AI FAITE.
© 2000 PAWS, INC. All Rights Reserved.
Distributed by Universal Press Syndicate
www.garfield.com
JIM DAVIS 12-23

J'ADORE NOËL.
MOI AUSSI.
JE T'AIME, GARFIELD.
MOI AUSSI...
ET ON VOUS AIME !
...JE M'AIME.
© 2000 PAWS, INC. All Rights Reserved. Distributed by Universal Press Syndicate
www.garfield.com
JIM DAVIS 12-25

AU REVOIR, NOËL, À BIENTÔT !
Distributed by Universal Press Syndicate

N'HÉSITE PAS À FAIRE SIGNE !
www.garfield.com
© 2000 PAWS, INC. All Rights Reserved.
JIM DAVIS 12-26

SALUT DENISE, C'EST JON ! TU FAIS QUELQUE CHOSE POUR LE JOUR DE L'AN ?
JE VEUX DIRE À PART M'ÉVITER À TOUT PRIX ?
PFFF !
JIM DAVIS 12-27
Distributed by Universal Press Syndicate
© 2000 PAWS, INC. All Rights Reserved.
www.garfield.com

PERSONNE NE VEUT FÊTER LE NOUVEL AN AVEC MOI.
T'EN FAIS PAS, JON.
MÊME SI C'ÉTAIT PAS LE JOUR DE L'AN, ILS NE VOUDRAIENT PAS SORTIR AVEC TOI.
PAT PAT
PAT PAT
JIM DAVIS 12-28
POURQUOI JE NE TROUVE PAS DE FIANCÉE ?
JIM DAVIS 12-29
JE SUIS MOCHE ? NON ! JE SUIS IMPOLI ? NON ! JE SUIS ENNUYEUX ?
Z
OH ! FERME - LÀ !
ON S'EN FICHE D'AVOIR UNE FIANCÉE.
ON S'EN FICHE DU JOUR DE L'AN.
MAIS PAS D'AVOIR UNE FIANCÉE LE JOUR DE L'AN.
WAAAH !
JIM DAVIS 12-30
VOILÀ LE COURRIER.
VOILÀ LE PORTE-FEUILLE DU FACTEUR.
LAISSE CET HOMME TRANQUILLE !
ILS SONT LAIDS SES GOSSES.
JIM DAVIS 1-1

QU'EST-CE QUE TU VEUX FAIRE ?
D'ACCORD.
© 2001 PAWS, INC. All Rights Reserved.
www.garfield.com
Distributed by Universal Press Syndicate
JIM DAVIS 1-2
À LA MAISON, ON PEUT SE BALADER EN SLIP.
JIM DAVIS 1-3
À LA MAISON, ON PEUT BOIRE DU LAIT À LA BOUTEILLE.
À LA MAISON, ON PEUT SE GRATTER OÙ ÇA NOUS GRATTE.
UNE VRAIE PORCHERIE.
J'AI RENCONTRÉ UNE JOURNALISTE HIER.
ELLE VOULAIT FAIRE UN REPORTAGE DE PROXIMITÉ.
ELLE A PRIS UNE PHOTO DE MOI.
"LE PARC ATTIRE LES NEUNEUS."
JIM DAVIS 1-4
VENDREDI SOIR...
ET JE SUIS À LA MAISON AVEC UN CHAT.
QUI PEUT ÊTRE PLUS DÉPRIMÉ ?
JIM DAVIS 1-5

MA VIE PUE, GARFIELD... COMME UN CHIEN MOUILLÉ.
JIM DAVIS 1-6
Distributed by Universal Press Syndicate
COMME UNE VIEILLE PAIRE DE CHAUSSETTES.
© 2001 PAWS, INC. All Rights Reserved.
www.garfield.com
COMME...
CA VA, J'AI COMPRIS !
LES PETITS EXTRAS QUE TU M'AVAIS DEMANDÉS... EH, BEN, JE LES AI PAS ACHETÉS. TU SAIS POURQUOI ?
Distributed by Universal Press Syndicate
PARCE QUE LA VIE, C'EST PAS EXTRA.
© 2001 PAWS, INC. All Rights Reserved.
www.garfield.com
RAPPELLE-T'EN PENDANT QUE JE T'ARRACHE LES CHEVEUX.
JIM DAVIS 1-8
J'AI PLEIN DE TRUCS À FAIRE.
Distributed by Universal Press Syndicate
J'AI PLEIN DE GENS À VOIR.
www.garfield.com
© 2001 PAWS, INC. All Rights Reserved.
ALORS, ÇA RESSEMBLE À ÇA, LA VRAIE VIE ?
ÇA COÛTE RIEN DE S'ENTRAÎNER.
JIM DAVIS 1-9
BON, QU'EST-CE QUI M'ATTEND AUJOURD'HUI ?
JIM DAVIS 1-10
Distributed by Universal Press Syndicate
YAAAAAHHH!!
© 2001 PAWS, INC. All Rights Reserved.
www.garfield.com
POURQUOI TU TE FAIS DU MAL ?

ODIE... UN BALLON À EAU...
JPM DAVPS 1-11
Distributed by Universal Press Syndicate
UNE GRIFFE...
www.garfield.com
© 2001 PAWS, INC. All Rights Reserved.
C'EST PAS EXACTEMENT LE RÉSULTAT ESPÉRÉ.
"L'ÉQUIPAGE DU BATEAU EN PERDITION AVAIT PERDU TOUT ESPOIR."
JPM DAVPS 1-12
Distributed by Universal Press Syndicate
"RIEN À SE METTRE SOUS LA DENT. LES VIVRES VENAIENT À MANQUER..."
© 2001 PAWS, INC. All Rights Reserved.
"TOUT À COUP, LE CHAT DU BORD APPARUT SUR LE PONT..."
BONNE NUIT !
www.garfield.com
A LA FERME, ON AVAIT UN CHAT.
JPM DAVPS 1-13
Distributed by Universal Press Syndicate
IL ADORAIT LES RATS. SURTOUT LES GROS...
www.garfield.com
© 2001 PAWS, INC. All Rights Reserved.
VOUS VOUS SERIEZ BIEN ENTENDUS.
UN PSYCHOPATHE ? TRÈS PEU POUR MOI.
SILENCE, ON TOURNE !
JPM DAVPS 1-15
Distributed by Universal Press Syndicate
www.garfield.com
ACTION !
© 2001 PAWS, INC. All Rights Reserved.
BIEN ESSAYÉ.

TOUT VA BIEN DANS MON UNIVERS.
YOUHOUUUUU !
FAUT QUE JE TROUVE UN UNIVERS PLUS PETIT.
JIM DAVIS 1-16
J'AI BEAUCOUP D'ESPOIRS ET DE RÊVES POUR L'AVENIR.
J'AI UN SANDWICH AU SALAMI.
SI ON RÊVAIT D'UNE LIMONADE ?
JIM DAVIS 1-17
T'AS ENCORE PRIS LES MAGNETS POUR DES VRAIS FRUITS, N'EST-CE PAS ?
POS-SIBLE.
JIM DAVIS 1-18
TAP
TAP TAP TAP TAP
TAP TAP TAP TAP
MES PARENTS VOULAIENT QUE JE DEVIENNE UN PULL-OVER. SI SEULEMENT...
JIM DAVIS 1-19
www.garfield.com
Distributed by Universal Press Syndicate
© 2001 PAWS, INC. All Rights Reserved.

LES GRANDES PUISSANCES S'ÉLÈVENT PUIS S'EFFONDRENT.
HISTOIRE
JIM DAVIS 1·20
TU VOIS ?
POURQUOI SE LEVER ?
J'AI PAS PASSÉ UNE BONNE JOURNÉE.
REMARQUE, J'AI PAS PASSÉ UNE MAUVAISE JOURNÉE NON PLUS.
T'AS PAS EU DE JOURNÉE DU TOUT, ALORS ?
JIM DAVIS 1·22
JE NE PERDRAI PLUS MES POILS.
J'AI PRIS UN SOUS-TRAITANT.
JIM DAVIS 1·23
IL FAUT QUE JE PROFITE DU BEAU TEMPS.
MAIS MES FRITES SONT À L'INTÉRIEUR.
JIM DAVIS 1·24
J'AIME LE COMPROMIS !

MEURTRES, IMPÔTS, GUERRE, FLÉAU...
JOURNAL
JOURNAL FÉLIN
Distributed by Universal Press Syndicate
www.garfield.com
CATASTROPHES NATURELLES, CRISE ÉCONOMIQUE...
SOUPIR
C'EST TERRIBLE, LE NOMBRE DE POILS QU'ON PERD EN CE MOMENT.
© 2001 PAWS, INC. All Rights Reserved.
JIM DAVIS 1-25
SOUVIENS-TOI GARFIELD.
NE MANGE PLUS DE POISSON ROUGE AVANT DE TE COUCHER.
JIM DAVIS 1-26
TOI !
N'OUBLIE JAMAIS !
C'EST IMPOLI DE MONTRER LES GENS DU DOIGT.
JIM DAVIS 1-27
IL Y A UN BON FILM À LA TÉLÉ.
JIM DAVIS 1-29
HERBIE L'ÉCUREUIL DANS...
"ATTAQUE HERBIVORE".
TOUS LES PRÉDATEURS ÉTAIENT DÉJÀ PRIS.

"MOBY DICK".
"UNE GROSSE BALEINE... UN CAPITAINE... UNE BATAILLE ACHARNÉE... ACHAB ACHÈTE UNE FERME... MOBY DISPARAÎT AU LOIN VERS LE SOLEIL COUCHANT..." FIN.
C'ÉTAIT "DIX SECONDES POUR UNE HISTOIRE".
LA SEMAINE PROCHAINE, ILS PASSENT "GUERRE ET PAIX".
© 2001 PAWS, INC. All Rights Reserved.
www.garfield.com
Distributed by Universal Press Syndicate
JPM DAVPS 1·30

AUJOURD'HUI DANS "AU COIN DE L'ŒIL", MA CHARMANTE ASSISTANTE ET MOI-MÊME ALLONS MONTRER COMMENT BIEN ÉPILER SES SOURCILS.
CHTONK !
AAAÏE !!!
CRÉTIN !
CHTONK
UNE BOMBE LACRYMO, VITE ! NEUTRALISEZ-LA !
J'ADORE LA TÉLÉ.
© 2001 PAWS, INC. All Rights Reserved.
www.garfield.com
Distributed by Universal Press Syndicate
JPM DAVPS 1·31

EN DIRECT POUR NOTRE MINUTE AGRICOLE, NOTRE ENVOYÉ SPÉCIAL. EARL ?
OUI, VAN. IL N'Y A QUE DE LA POUSSIÈRE AUTOUR DE MOI.
EARL, Y A-T-IL UN TRACTEUR EN VUE ?
CITADINS.
© 2001 PAWS, INC. All Rights Reserved.
www.garfield.com
Distributed by Universal Press Syndicate
JPM DAVPS 2·1
VOICI REX, LE CHIEN CASCADEUR.
REX, C'EST DANGEREUX COMME MÉTIER. TU GAGNES BIEN TA VIE ?
EH BIEN OUI, ON ME CARESSE TOUT LE TEMPS.
Y EN A UN QUI SE FAIT AVOIR.
© 2001 PAWS, INC. All Rights Reserved.
www.garfield.com
Distributed by Universal Press Syndicate
JPM DAVPS 2·2

LA TÉLÉCOMMANDE EST CASSÉE.
CLIC CLIC
ET JE SUIS EN TRAIN DE REGARDER "L'HISTOIRE DE POTS DE FLEURS NORVÉGIENS".
LA LÉTHARGIE OUVRE DES HORIZONS.
JIM DAVIS 2-3
SALUT, MAMAN.
OH, RIEN DE TRÈS NOUVEAU.
POUR L'INSTANT, J'ÉPOUSSETTE LE CHAT.
HI ! HI ! HI !
JIM DAVIS 2-5
IL Y A DU BRUIT DANS LE GARAGE. PEUT-ÊTRE UN GROS RAT...
QUI RÔDE PRÈS DE LA VOITURE.
JE PARIE QUE ÇA TITILLE TES INSTINCTS PRIMAIRES.
JE VAIS PROTÉGER LA BANQUETTE ARRIÈRE.
JIM DAVIS 2-6
RÉSERVÉ
RÉSERVÉ
J'AI PEUT-ÊTRE PERDU L'ÉLÉMENT DE SURPRISE.
JIM DAVIS 2-7

ODIE A DÉRACINÉ LES FLEURS DU JARDIN !
www.garfield.com Distributed by Universal Press Syndicate
OUPS !
JIM DAVIS 2-8
© 2001 PAWS, INC. All Rights Reserved.
ODIE A DÉRACINÉ LES FLEURS DU JARDIN !

BRAVO ! VOUS AVEZ GAGNÉ LE GROS LOT !
www.garfield.com Distributed by Universal Press Syndicate
UNE SOIRÉE AVEC MOI.
© 2001 PAWS, INC. All Rights Reserved.
L'ÉMOTION ÉTAIT TROP GRANDE.
DES PROBLÈMES D'ESTOMAC, SANS DOUTE.
JIM DAVIS 2-9

PERSONNE NE SAIT S'ÉTIRER AUSSI BIEN QU'UN CHAT.
JIM DAVIS 2-10
www.garfield.com Distributed by Universal Press Syndicate

YAWN
© 2001 PAWS, INC. All Rights Reserved.

EH, OH !

MA PHILOSOPHIE PEUT CHANGER LA FACE DU MONDE.
JIM DAVIS 2-12
www.garfield.com Distributed by Universal Press Syndicate
"RIS ET LES GENS RIENT AVEC TOI."
© 2001 PAWS, INC. All Rights Reserved.
D'AILLEURS, JE LES ENTENDS QUI RIGOLENT.
ILS CAMPENT DANS LE JARDIN.

POOF !
COOKIES
JE SUIS LE GÉNIE DE LA BOÎTE À COOKIES.
COOKIES
JIM DAVIS 2-13
FAIS TROIS VŒUX !
OÙ SONT LES COOKIES QUAND ON EN A BESOIN ?
AUJOURD'HUI, JE FAIS RIEN.
QUEL HOMME !
JE ME REPOSE.
QUEL HÉROS !
JIM DAVIS 2-14
JE NE CHANGE MÊME PAS TA LITIÈRE.
PSYCHOPATE !
JON, SAVOURE CET INSTANT UNIQUE.
J'AI UNE BANANE DANS L'OREILLE...
JIM DAVIS 2-15
UN JOUR, ON SE SOUVIENDRA QUE TU AS TRÉBUCHÉ SUR MOI EN REVENANT DE L'ÉPICERIE... ET ON RIRA.
DU RAISIN PLEIN LE NEZ...
VOILÀ COMMENT ON SE FAIT DES SOUVENIRS.
...ET JE VAIS TE TUER.
ALORS CE DÎNER, GARFIELD ?
SUC-CULENT !
ÇA S'APPELLE UN "RAGOÛT DE RESTES MARINÉS AU FOND DU BAC À LÉGUMES".
PROFITES-EN, JE NE PEUX EN FAIRE QUE TOUS LES CINQ ANS.
C'EST MARRANT, LA DERNIÈRE BOUCHÉE PASSE MAL.
JIM DAVIS 2-16

JE SUIS FATIGUÉ, SANS ÉNERGIE ET AFFAMÉ.
MAIS TU SAIS PAS PERDRE TES POILS, TOI ? HEIN ?
JIM DAVIS 2-17
LES FILLES AIMENT LES GROS BALÈZES.
JIM DAVIS 2-19
C'EST POUR ÇA QUE J'AI ACHETÉ UN BLOUSON DE CUIR.
ÇA VA BIEN AVEC TES CHAUSSONS.
JE SUIS PAS TON GENRE ?
C'EST QUOI "TON GENRE", ALORS ?
HUMAIN ?
PFFFF ! ELLE EST DIFFICILE !
JIM DAVIS 2-20
CINDY VIENT DE M'APPELER.
PLPLPLPLPLPL!!
ELLE DIT QUE JE SUIS IMMATURE.
ET ENCORE, ELLE A RIEN VU.
JIM DAVIS 2-21
www.garfield.com
Distributed by Universal Press Syndicate
© 2001 PAWS, INC. All Rights Reserved.

QUOI ? RÉPÈTE !
JIM DAVIS 2-22
www.garfield.com
Distributed by Universal Press Syndicate
TU VEUX BIEN SORTIR AVEC MOI ?
© 2001 PAWS, INC. All Rights Reserved.
ALLO ? ALLO ?
JON REVIENT, IL TERMINE SA PETITE DANSE DE JOIE DANS LE JARDIN ET IL EST À VOUS.
YOUPI ! YOUPI ! YAH !
JE SORS AVEC GINNY CE SOIR.
www.garfield.com
Distributed by Universal Press Syndicate
ELLE A BEAUCOUP D'HUMOUR.
© 2001 PAWS, INC. All Rights Reserved.
J'AI TROIS HEURES POUR DEVENIR MARRANT.
JE CROIS QU'IL RESTE DU POIL À GRATTER QUELQUE PART.
JIM DAVIS 2-23
JE DÉTESTE LES ENFANTS QUI JOUENT À SONNER À LA PORTE.
www.garfield.com
Distributed by Universal Press Syndicate
CE SAUT D'EAU LEUR SERVIRA DE LEÇON.
DING DONG
© 2001 PAWS, INC. All Rights Reserved.
MA COPINE ARRIVE D'UN INSTANT À L'AUTRE.
J'AI COMME UN DOUTE.
JIM DAVIS 2-24

IL Y A DEUX CHOSES QUI M'AGACENT AVEC LES ARAIGNÉES...
JIM DAVIS 2-26
www.garfield.com
Distributed by Universal Press Syndicate
ELLES SONT SOURNOISES.
SPLAT!
© 2001 PAWS, INC. All Rights Reserved.
ET J'AI L'IMPRESSION QU'ELLES PIQUENT DANS LE FRIGO.
CLANK
DONK

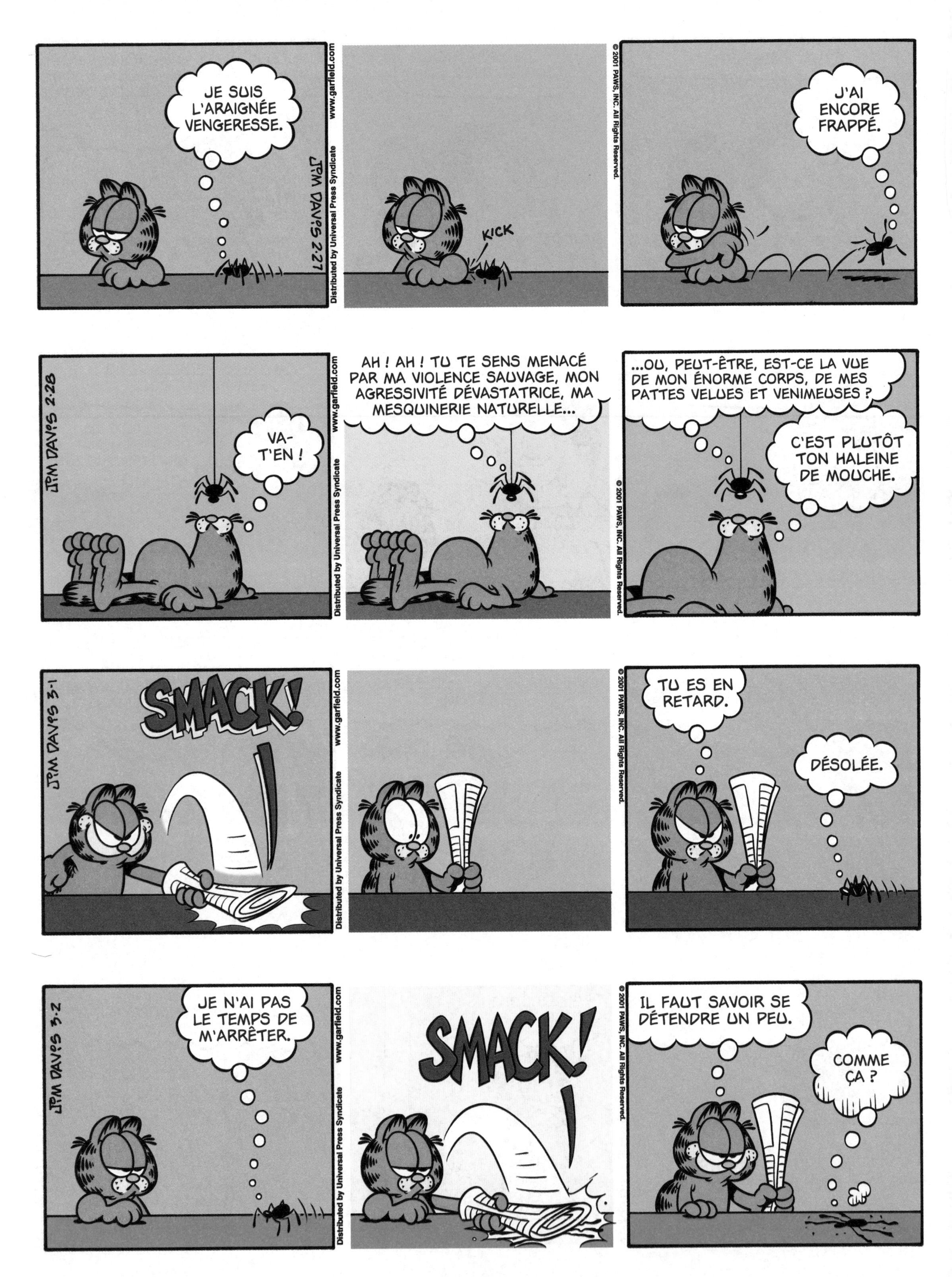

JE SUIS L'ARAIGNÉE VENGERESSE.
JIM DAVIS 2-27
www.garfield.com
Distributed by Universal Press Syndicate
KICK
© 2001 PAWS, INC. All Rights Reserved.
J'AI ENCORE FRAPPÉ.
JIM DAVIS 2-28
VA-T'EN !
AH ! AH ! TU TE SENS MENACÉ PAR MA VIOLENCE SAUVAGE, MON AGRESSIVITÉ DÉVASTATRICE, MA MESQUINERIE NATURELLE...
...OU, PEUT-ÊTRE, EST-CE LA VUE DE MON ÉNORME CORPS, DE MES PATTES VELUES ET VENIMEUSES ?
C'EST PLUTÔT TON HALEINE DE MOUCHE.
JIM DAVIS 3-1
SMACK!
TU ES EN RETARD.
DÉSOLÉE.
JIM DAVIS 3-2
JE N'AI PAS LE TEMPS DE M'ARRÊTER.
SMACK!
IL FAUT SAVOIR SE DÉTENDRE UN PEU.
COMME ÇA ?

ARAIGNÉE !
ATTENDS !
JIM DAVIS 3-3
LES ARAIGNÉES MANGENT LES INSECTES.
TUEUR D'INSECTES !
SMACK!
SLORP! SLURP! SLUP! SLURP!
GARFIELD, JE N'AI JAMAIS RIEN VU D'AUSSI SALE !
SLORP! SLUP!
SAUF ÇA.
JIM DAVIS 3-5
GARFIELD
AIDE-MOI ! JE ME SUIS ENFERMÉ DEHORS EN PRENANT LE JOURNAL !
JIM DAVIS 3-6
DÉPÊCHE-TOI ! JE SUIS EN CALEÇON...
...ET C'EST CELUI AVEC LES PETITS CHATS.
DANS CE CAS, PASSE PAR LA CHATIÈRE.
JIM DAVIS 3-7
C'ÉTAIT PAS UNE BONNE IDÉE. DEMAIN, JE M'HABILLERAI APRÈS MA DOUCHE.
AU MOINS, T'AURAS TENTÉ LE COUP.

RRRRRRRRRR
Distributed by Universal Press Syndicate www.garfield.com
QU'EST-CE QUE TU FAIS AVEC LE MIXEUR ?
© 2001 PAWS, INC. All Rights Reserved.
EN FAIT, JE PRÉFÈRE PAS SAVOIR.
UN COCKTAIL DE PANTOUFLE ?
JIM DAVIS 3-8
JE SAIS COMMENT ATTIRER L'ATTENTION DES FEMMES.
JIM DAVIS 3-9
Distributed by Universal Press Syndicate www.garfield.com
QUI VEUT VOIR LE MEILLEUR IMITATEUR DE CANARD AU MONDE ?
© 2001 PAWS, INC. All Rights Reserved.
AU MOINS, ÇA A ATTIRÉ SON ATTENTION.
JE SAVAIS PAS QU'ON POUVAIT COURIR AUSSI VITE AVEC DES TALONS.
VOUS IGNOREZ...
JIM DAVIS 3-10
Distributed by Universal Press Syndicate www.garfield.com
...LES DÉGÂTS QUE JE POURRAIS CAUSER.
© 2001 PAWS, INC. All Rights Reserved.
SI J'ARRIVAIS À RETIRER MES GRIFFES DE LA TABLE.
GARFIELD, UN PEU DE TONUS !
JIM DAVIS 3-12
Distributed by Universal Press Syndicate www.garfield.com
LA VIE T'APPELLE.
DIS-LUI DE LAISSER UN MESSAGE.
© 2001 PAWS, INC. All Rights Reserved.

C'EST PAS COMME SI JE N'AVAIS RIEN FAIT DE MA VIE...
ATTENDEZ...
EN FAIT, SI...
JIM DAVIS 3-13
EXCUSE-TOI AUPRÈS D'ODIE POUR CE QUE TU LUI AS FAIT OU JE TE PUNIS SÉVÈREMENT.
PUNIS-MOI SÉVÈREMENT.
JIM DAVIS 3-14
TU VEUX QUE JE TE RACONTE MA JOURNÉE ?
JIM DAVIS 3-15
NON
TU ME REMBOURSERAS LE PANNEAU !
IL Y A BEAUCOUP DE CHOSES QUE JE NE COMPRENDRAI JAMAIS.
JIM DAVIS 3-16
ET ELLES CONCERNENT TOUTES DES FEMMES.
UN RARE MOMENT D'HONNÊTETÉ.

AUJOURD'HUI C'EST "LA FÊTE DU POISSON MOCHE".
MANGEZ UN POISSON MOCHE.
ET LA PLANÈTE SERA D'AUTANT MOINS MOCHE.
LE SLOGAN N'EST PAS GÉNIAL.
JIM DAVIS 3-17
www.garfield.com
Distributed by Universal Press Syndicate
© 2001 PAWS, INC. All Rights Reserved.

MAMAN, JE PEUX TE DEMANDER QUELQUE CHOSE ?
BIEN SÛR, CHÉRI.
JE VOUDRAIS ADOPTER UN ANIMAL.
UN ANIMAL !
IL M'A SUIVI JUSQU'À LA MAISON.
JE TE CROYAIS PLUS MALIN, TU SAIS.
JIM DAVIS 3-19
www.garfield.com
Distributed by Universal Press Syndicate
© 2001 PAWS, INC. All Rights Reserved.

JIM DAVIS 3-20
ATTENTION, UNE ARAIGNÉE !
TU DEVAIS PAS FAIRE LE GUET ?
DÉSOLÉE.
www.garfield.com
Distributed by Universal Press Syndicate
© 2001 PAWS, INC. All Rights Reserved.

NE ME CHERCHE PAS TROP, SINON...
SMACK !
SINON TU ME CASSES LA FIGURE ?
J'ESPÈRE QUE C'EST CLAIR !
JIM DAVIS 3-21
www.garfield.com
Distributed by Universal Press Syndicate
© 2001 PAWS, INC. All Rights Reserved.

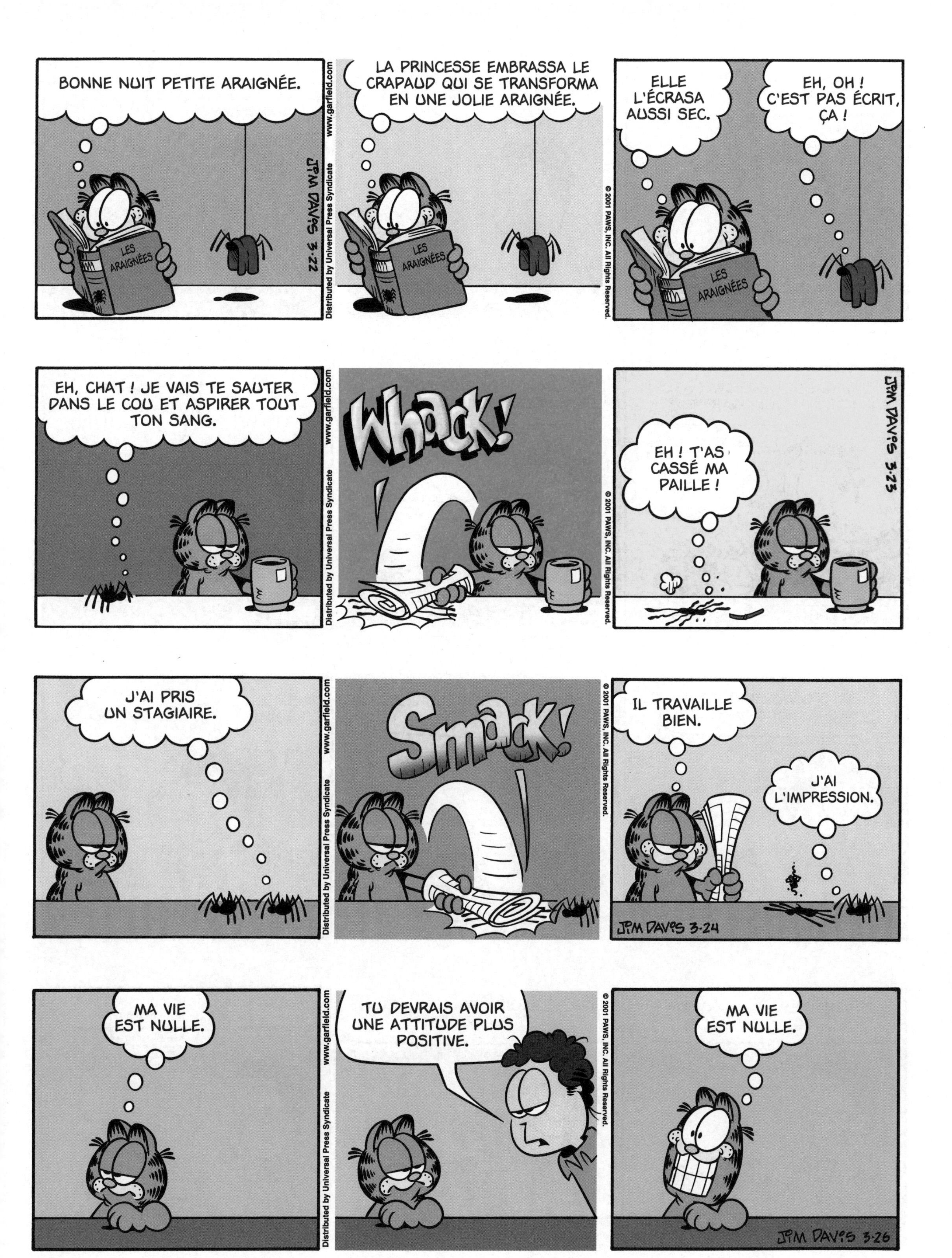

BONNE NUIT PETITE ARAIGNÉE.
LES ARAIGNÉES
JIM DAVIS 3-22
www.garfield.com
Distributed by Universal Press Syndicate
LA PRINCESSE EMBRASSA LE CRAPAUD QUI SE TRANSFORMA EN UNE JOLIE ARAIGNÉE.
LES ARAIGNÉES
© 2001 PAWS, INC. All Rights Reserved.
ELLE L'ÉCRASA AUSSI SEC.
EH, OH ! C'EST PAS ÉCRIT, ÇA !
LES ARAIGNÉES
EH, CHAT ! JE VAIS TE SAUTER DANS LE COU ET ASPIRER TOUT TON SANG.
www.garfield.com
Distributed by Universal Press Syndicate
WHACK !
© 2001 PAWS, INC. All Rights Reserved.
EH ! T'AS CASSÉ MA PAILLE !
JIM DAVIS 3-23
J'AI PRIS UN STAGIAIRE.
www.garfield.com
Distributed by Universal Press Syndicate
SMACK !
© 2001 PAWS, INC. All Rights Reserved.
IL TRAVAILLE BIEN.
J'AI L'IMPRESSION.
JIM DAVIS 3-24
MA VIE EST NULLE.
www.garfield.com
Distributed by Universal Press Syndicate
TU DEVRAIS AVOIR UNE ATTITUDE PLUS POSITIVE.
© 2001 PAWS, INC. All Rights Reserved.
MA VIE EST NULLE.
JIM DAVIS 3-26

J'ENVISAGE D'ÉCRIRE MON AUTOBIOGRAPHIE.
Distributed by Universal Press Syndicate www.garfield.com
© 2001 PAWS, INC. All Rights Reserved.
PEUT-ÊTRE FAUDRAIT-IL QUE JE FASSE QUELQUE CHOSE AVANT.
ÇA T'AIDERAIT POUR LE TITRE.
JIM DAVIS 3-27
TU TE SOUVIENS DU PARC D'ATTRACTIONS, GARFIELD ?
COMMENT OUBLIER ?
PHOTOS
JIM DAVIS 3-28
Distributed by Universal Press Syndicate www.garfield.com
J'AI EU UNE DE CES TROUILLES DANS CE PARC.
C'ÉTAIT GÊNANT.
PHOTOS
© 2001 PAWS, INC. All Rights Reserved.
J'AI PAS ARRÊTÉ DE CRIER.
DANS LE PARKING C'ÉTAIT PAS UTILE, JON.
PHOTOS

POUR COMMUNIQUER AVEC VOTRE ANIMAL...
ANIMAUX
JIM DAVIS 3-29
Distributed by Universal Press Syndicate www.garfield.com
SOYEZ SIMPLE ET DIRECT.
ANIMAUX
© 2001 PAWS, INC. All Rights Reserved.
FAIS... UN... RÉGIME.
OCCUPE-TOI... DE... TOI.
ANIMAUX

JE VAIS PEUT-ÊTRE SORTIR AVEC DES AMIS CE SOIR.
Distributed by Universal Press Syndicate www.garfield.com
RIRE ET AVOIR DES DISCUSSIONS ENFLAMMÉES.
© 2001 PAWS, INC. All Rights Reserved.
À MOINS QUE JE NE RESTE À LA MAISON DEVANT LA TÉLÉ.
LA DURE RÉALITÉ.
JIM DAVIS 3-30

CE QUI NE VA PAS AVEC LES CHATS...
C'EST QU'ILS...
CLIC
OH ?!
TU REGARDES TROP LA TÉLÉ.

GARFIELD, J'AI VU TROIS SOURIS SORTIR DE LA MAISON.
T'ES PAS AU COURANT ?
ELLES AVAIENT DES VALISES !
LA "FOIRE AUX FROMAGES" VIENT D'OUVRIR.

HMMM... IL FAUT QUE JE FASSE QUELQUE CHOSE POUR CE TROU DE SOURIS.
SUIS-JE BÊTE !

ME FAIRE ACHETER !

GARFIELD, LA CHAÎNE ALIMENTAIRE, TU CONNAIS ?
LÀ C'EST TOI... ET LÀ C'EST LA SOURIS...
DES QUESTIONS ?
ELLE EST OÙ LA PIZZA ?

OUAF !
EUH... GARFIELD ?
OUI, JE SAIS. ON FAIT DES CHIENS DE PLUS EN PLUS PETITS DE NOS JOURS.
JIM DAVIS 4-5

SNAP!
OUCH!
SNAP!
OUCH!
SNAP!
OUCH!
IL ESSAYE D'INSTALLER LE PIÈGE À SOURIS.
JE PEUX AVOIR LE FROMAGE ?
JIM DAVIS 4-6

TU VEUX JOUER AU BRIDGE ?
OK, MAIS CETTE FOIS ON PREND MES CARTES.
LA DERNIÈRE FOIS, J'AI FAILLI DEVENIR AVEUGLE.
JIM DAVIS 4-7

SI TU FAISAIS DU SPORT, TU SERAIS PLUS ÉNERGIQUE.
ET L'ÉNERGIE, C'EST BIEN.
AH.
JIM DAVIS 4-9

AH !
LE PRINTEMPS.
LE MOMENT OÙ... HUM... HUM...
QU'EST-CE QUI SE PASSE AU PRINTEMPS ?
TU TENDS TON BRAS EN L'AIR ?
www.garfield.com
Distributed by Universal Press Syndicate
© 2001 PAWS, INC. All Rights Reserved.
JIM DAVIS 4·10

GARFIELD, TU DEVRAIS FAIRE QUELQUE CHOSE !
C'EST ÇA !
TU PEUX M'AIDER DANS LE JARDIN.
BIEN SÛR !
JE T'AI FAIT UNE PETITE CHARRUE.
TU N'AS VRAIMENT RIEN À FAIRE DE TES JOURNÉES OU QUOI ?
JIM DAVIS 4·11
Distributed by Universal Press Syndicate
www.garfield.com
© 2001 PAWS, INC. All Rights Reserved.

JE T'AI ACHETÉ UNE SURPRISE, GARFIELD.
MAIS JE NE LA RETROUVE PAS.
ÇA NE RESSEMBLAIT PAS À UNE SORTE DE (HIPS) BOÎTE DE DONUTS, PAR HASARD ?
JIM DAVIS 4·12
Distributed by Universal Press Syndicate
www.garfield.com
© 2001 PAWS, INC. All Rights Reserved.

LA FILLE AVEC QUI J'AI RENDEZ-VOUS ME TROUVE À MOITIÉ CRÉTIN.
À MOITIÉ !
J'AVAIS COMPRIS.
www.garfield.com
Distributed by Universal Press Syndicate
© 2001 PAWS, INC. All Rights Reserved.
JIM DAVIS 4·13

JE M'ENNUIE, GARFIELD.
JIM DAVIS 4-14
J'AI BESOIN DE M'AMUSER.
SI JE MONTAIS SUR LE TOIT !
JON, TU AS PROMIS AUX POMPIERS DE NE PLUS RECOMMENCER.
TOI AUSSI TU ME MANQUES, MAMAN.
JIM DAVIS 4-16
OUI, JE SAIS, ÇA FAIT LONGTEMPS QUE JE NE SUIS PAS VENU TE VOIR.
OUUUUI ! JE SAIS QUE TU N'ES PLUS TOUTE JEUNE.
JE PRENDS MON PIQUE-NIQUE ET MA PELUCHE.
J'ADORE LES VOYAGES EN VOITURE.
JIM DAVIS 4-17
ÇA ME DONNE ENVIE DE CHANTER.
SLAM ! SLAM !
BEN, QUOI ?
MAMAN !
JON !
PAPA !
FISTON !
GROS LARD !
TOQUARD !
LES FRANGINS !
JIM DAVIS 4-18

T'AS L'AIR EN FORME. JE SUIS CONTENT DE TE REVOIR, FISTON.
MOI AUSSI, ÇA ME FAIT PLAISIR.
JIM DAVIS 4-19
www.garfield.com
Distributed by Universal Press Syndicate
BON, JE RETOURNE BOSSER.
QUELLES ÉMOUVANTES RETROU-VAILLES. (SNIFF)
FAUT QUE JE VIDE LE COFFRE.
© 2001 PAWS, INC. All Rights Reserved.

GARFIELD N'EST PAS HABITUÉ À VIVRE À LA CAMPAGNE !
TU SAIS, IL VA VITE...
JIM DAVIS 4-20
www.garfield.com
Distributed by Universal Press Syndicate
REPRENDRE SES MARQUES.
AAAGGHH!
© 2001 PAWS, INC. All Rights Reserved.
Y A QUE TROIS CHAÎNES, ICI !!!

TU VOIS, ÇA C'EST DES MOUTONS.
ON DIRAIT DES PELUCHES PLEINES DE POUSSIÈRE.
www.garfield.com
Distributed by Universal Press Syndicate
C'EST EUX QUI FONT LA LAINE.
ATTENDS, ATTENDS.
© 2001 PAWS, INC. All Rights Reserved.
JIM DAVIS 4-21
SI C'EST COMME L'HISTOIRE DE L'ŒUF ET DE LA POULE, ÇA M'INTÉRESSE PAS.

T'ES QUOI, TOI ?
UN COQ.
www.garfield.com
Distributed by Universal Press Syndicate
TU FAIS QUOI ?
JE RÉVEILLE LES GENS À L'AUBE.
© 2001 PAWS, INC. All Rights Reserved.
J'AI PAS ENTENDU LE COQ CE MATIN.
J'IMAGINE QUE C'EST PAS FACILE DE CHANTER AVEC DU BARBELÉ AUTOUR DU BEC.
JIM DAVIS 4-23

UNE FOIS TU T'ES RÉFUGIÉ DANS CET ARBRE POUR ÉCHAPPER AU TAUREAU...
JE SAIS.
www.garfield.com
Distributed by Universal Press Syndicate
T'Y ES RESTÉ UN SACRÉ BOUT DE TEMPS.
JE ME SOUVIENS, PAPA.
JIM DAVIS 4-24
T'AVAIS QUEL ÂGE DÉJÀ ?
SEPT ET HUIT ANS.
© 2001 PAWS, INC. All Rights Reserved.

C'EST COMMENT LA VIE EN VILLE, JON ?
JIM DAVIS 4-25
www.garfield.com
Distributed by Universal Press Syndicate
C'EST DÉLIRANT !
© 2001 PAWS, INC. All Rights Reserved.
PARFOIS, JE ME COUCHE À DIX HEURES.
MA!

C'EST PARFOIS DANGEREUX LA CAMPAGNE.
www.garfield.com
Distributed by Universal Press Syndicate
IL FAUT SUIVRE LES INSTRUCTIONS À LA LETTRE.
JIM DAVIS 4-26
"NE PAS CHATOUILLER LE TAUREAU" ?
ÇA, C'EST PAS DE LA BLAGUE.
© 2001 PAWS, INC. All Rights Reserved.

J'AI UNE FIANCÉE, JON.
NON ? !
JIM DAVIS 4-27
www.garfield.com
Distributed by Universal Press Syndicate
TU VEUX VOIR SA PHOTO ?
OH, OUI !
© 2001 PAWS, INC. All Rights Reserved.
ALORS ?
OH !
ELLE A UNE TRÈS JOLIE DENT.

J'AURAIS BIEN AIMÉ RESTER, MAIS MA COPINE M'ATTEND.
JIM DAVIS 4-28
www.garfield.com
Distributed by Universal Press Syndicate
REGARDEZ LA GROSSE VACHE HOLLANDAISE, LÀ-BAS !
© 2001 PAWS, INC. All Rights Reserved.
C'EST MA COPINE.
TU DEVRAIS PAS METTRE DES ROBES À POIS, CHÉRIE.
SANS LES POILS DE CHAT, CETTE PIÈCE SERAIT SYMPA.
JIM DAVIS 4-30
www.garfield.com
Distributed by Universal Press Syndicate
QU'EST-CE QU'IL RACONTE ? J'AI PAS PERDU UN SEUL POIL.
© 2001 PAWS, INC. All Rights Reserved.
TRÈS DRÔLE.
ÇA C'ÉTAIT MON INSTITUTRICE, Mme MOLARD.
ALBUM PHOTO
JIM DAVIS 5-1
www.garfield.com
Distributed by Universal Press Syndicate
ELLE ME DÉTESTAIT. J'ÉTAIS TOUT LE TEMPS PUNI.
ALBUM PHOTO
© 2001 PAWS, INC. All Rights Reserved.
AU FOND, J'Y ÉTAIS ATTACHÉ.
D'OÙ CETTE MAGNIFIQUE MOUSTACHE ET CES SUPERBES DENTS DE VAMPIRE.
ALBUM PHOTO
JIM DAVIS 5-2
FAIS LE MORT, ODIE !
www.garfield.com
Distributed by Universal Press Syndicate
C'EST BIEN.
© 2001 PAWS, INC. All Rights Reserved.
BOUGE PLUS.

UN QUOI ?...
SUR VOTRE QUOI ?!
www.garfield.com
Distributed by Universal Press Syndicate
OUI, Mme FEENY.
JE M'EN OCCUPE.
JIM DAVIS 5-3
© 2001 PAWS, INC. All Rights Reserved.
UN RAT MUSQUÉ
MORT SUR SON
LIT !!!
ÇA PEUT PAS
ÊTRE MOI, BIEN
TROP BANAL.

OUH, LÀ,
LÀ.
JIM DAVIS 5-4
www.garfield.com
Distributed by Universal Press Syndicate
C'EST
MAUVAIS
SIGNE.
© 2001 PAWS, INC. All Rights Reserved.
LE CERF-VOLANT DE JON
RENTRE À LA MAISON
SANS LUI.

UN BON
CAFÉ.
JIM DAVIS 5-5
www.garfield.com
Distributed by Universal Press Syndicate
UN CAFÉ
CHAUD.
ÇA VIENT...
© 2001 PAWS, INC. All Rights Reserved.
UN BOOOOON
CAFÉ CHAUD.
ET
VOILÀ !

QUAND JE REGARDE LA PIÈCE ET
QUE JE VOIS TOUTE LA CRASSE QUI
M'ENTOURE.
www.garfield.com
Distributed by Universal Press Syndicate
JE ME DIS QU'IL EST TEMPS
QU'ON FASSE QUELQUE CHOSE.
© 2001 PAWS, INC. All Rights Reserved.
ON VA SE
BANDER
LES YEUX.
JE PRENDS
LE BLEU.
JIM DAVIS 5-7

JE VAIS MÉDITER.
JIM DAVIS 5-8
Distributed by Universal Press Syndicate www.garfield.com
VAS-Y.
Z
MOI AUSSI, UN PEU DE MÉDITATION ME FERAIT DU BIEN.
© 2001 PAWS, INC. All Rights Reserved.
QUI VEUT S'AMUSER ?
JIM DAVIS 5-9
Distributed by Universal Press Syndicate www.garfield.com
PAS MOI ! PAS MOI !
MADAME PELOTE DE LAINE CHERCHE UN AMI.
PROFITEZ-EN BIEN TOUS LES DEUX.
© 2001 PAWS, INC. All Rights Reserved.

Y A UN NOUVEAU MAGASIN SUPER DANS LA RUE.
Distributed by Universal Press Syndicate www.garfield.com
ÇA S'APPELLE "ANIMAL SUR MESURE".
MAINTENANT J'AI UN LAPIN !
QUI PEUT BLESSER.
JIM DAVIS 5-10
© 2001 PAWS, INC. All Rights Reserved.

ALLO, TINA, J'ORGANISE UNE PETITE FÊTE, SAMEDI. TU VEUX VENIR ?
JIM DAVIS 5-11
Distributed by Universal Press Syndicate www.garfield.com
BEN OUI, J'Y SERAI !?
QUELLE RABAT-JOIE.
© 2001 PAWS, INC. All Rights Reserved.

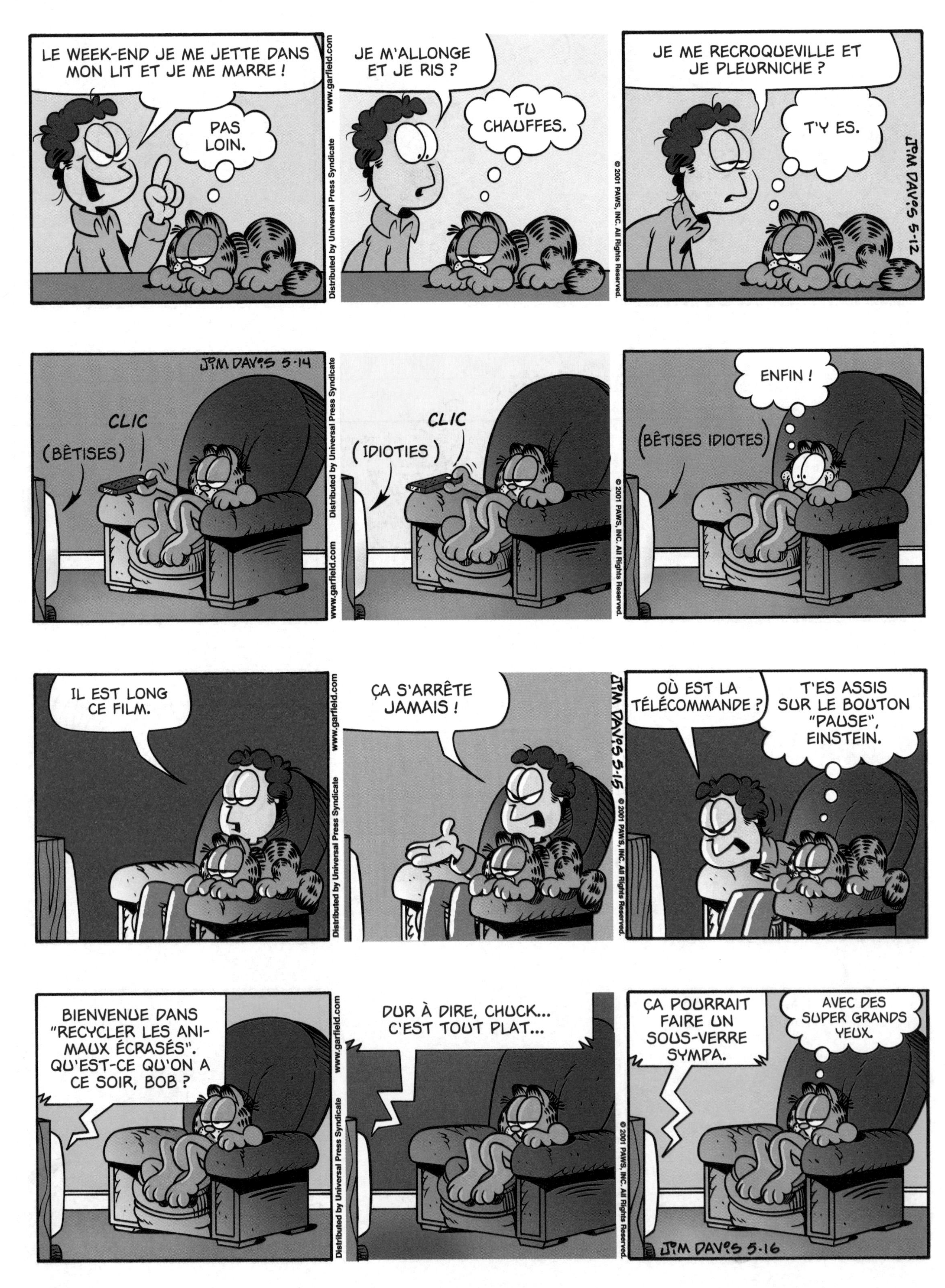

LE WEEK-END JE ME JETTE DANS MON LIT ET JE ME MARRE !
PAS LOIN.
JE M'ALLONGE ET JE RIS ?
TU CHAUFFES.
JE ME RECROQUEVILLE ET JE PLEURNICHE ?
T'Y ES.
JIM DAVIS 5-12
www.garfield.com
Distributed by Universal Press Syndicate
© 2001 PAWS, INC. All Rights Reserved.
JIM DAVIS 5-14
CLIC
(BÊTISES)
CLIC
(IDIOTIES)
ENFIN !
(BÊTISES IDIOTES)
IL EST LONG CE FILM.
ÇA S'ARRÊTE JAMAIS !
JIM DAVIS 5-15
OÙ EST LA TÉLÉCOMMANDE ?
T'ES ASSIS SUR LE BOUTON "PAUSE", EINSTEIN.
BIENVENUE DANS "RECYCLER LES ANIMAUX ÉCRASÉS". QU'EST-CE QU'ON A CE SOIR, BOB ?
DUR À DIRE, CHUCK... C'EST TOUT PLAT...
ÇA POURRAIT FAIRE UN SOUS-VERRE SYMPA.
AVEC DES SUPER GRANDS YEUX.
JIM DAVIS 5-16

QUELLE EST VOTRE SPÉCIALITÉ, MONSIEUR ?
J'ÉCRASE DES ARAIGNÉES.
POURRIEZ-VOUS NOUS MONTRER ?
AVEC PLAISIR.
SQUISH!
SPLASH
AUCUNE CLASSE ! PAS D'AMPLITUDE DANS LE GESTE !
JIM DAVIS 5-17

AU DÉPART, NOUS AVIONS UN SUPERBE REPORTAGE SUR UN INCENDIE EN CENTRE-VILLE MAIS DAN, NOTRE MONTEUR, L'A EFFACÉ ACCIDENTELLEMENT.
JIM DAVIS 5-18
PAR CONSÉQUENT, AU LIEU DE CES INCROYABLES IMAGES, NOUS VOUS PROPOSONS DE REGARDER DAN EN CALEÇON EN TRAIN DE FAIRE DE LA MUSIQUE AVEC UN PEIGNE.
FFFT FFFT FFFT
L'INCENDIE, IL PEUT ALLER SE RHABILLER !

Z
Z
JIM DAVIS 5-19
Z
Z
AINSI S'ACHÈVE : "LA SIESTE AVEC FLUFFY".
YAWN

SMACK
JIM DAVIS 5-21
C'EST LE PRINTEMPS !
LA PREMIÈRE HIRONDELLE DE LA SAISON VIENT DE SE COGNER DANS LA FENÊTRE.

ÇA FAIT PLAISIR LE PRINTEMPS, HEIN, GARFIELD ?
LE SOLEIL... LES FLEURS...
MÊME TOI, TU SOURIS !
J'AI LA BOUCHE PLEINE DE PAPILLONS.
J'AI BALANCÉ ODIE DU TOIT !
HEUREUSEMENT QUE JON ÉTAIT LÀ POUR AMORTIR SA CHUTE.
GARFIELD, SI JE T'ATTRAPE...
REGARDE, ODIE ! JE SAVAIS PAS QUE JON RAMPAIT AUSSI BIEN.
GARFIELD, TU DORS TROP.
J'AI UNE MALADIE.
IL Y A UN NOM POUR ÇA !
LA PHOBIE DU MOUVEMENT.
LA PARESSE !
L'ANGOISSE DE LA SUEUR.
IL Y AVAIT UN GÂTEAU SUR CETTE ASSIETTE !
JE VEUX SAVOIR OÙ IL EST PASSÉ !
IL EST ALLÉ RENDRE VISITE À LA CÔTE DE PORC DISPARUE.
JIM DAVIS 5-22
JIM DAVIS 5-23
JIM DAVIS 5-24
JIM DAVIS 5-25
www.garfield.com
© 2001 PAWS, INC. All Rights Reserved.
Distributed by Universal Press Syndicate